D0296427

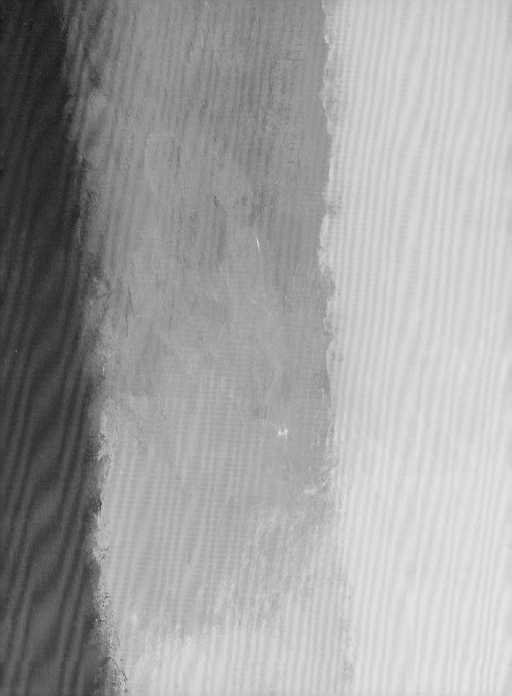

Guido van Genechten

CLA-vis-JES, dat zijn Clavis-toppers op klein formaat die garant staan voor groot leesplezier.

klein
wit
visje

Clavis

Klein wit visje huilt.
Het is zijn mama kwijt.

Is dit de mama van wit visje?
Nee, dit is een krab, en die is **rood**.

Of is dit de mama van wit visje?
Nee, dit is een zeester, en die is oranje.

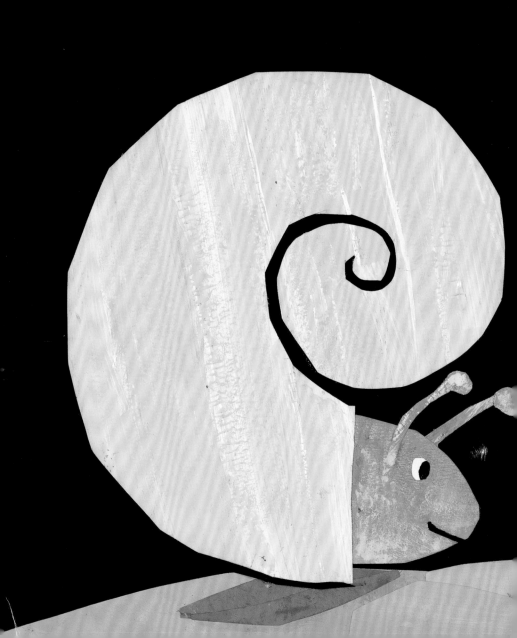

Is dit dan de mama van wit visje?
Welnee, dit is een slak, en die is **geel**.

En dit?
Is dit de mama van wit visje? Nee, ook niet,
dit is een schildpad, en die is groen.

Maar misschien is dit de mama van wit visje?
Nee, zeker niet, dit is een walvis,
en die is blauw.

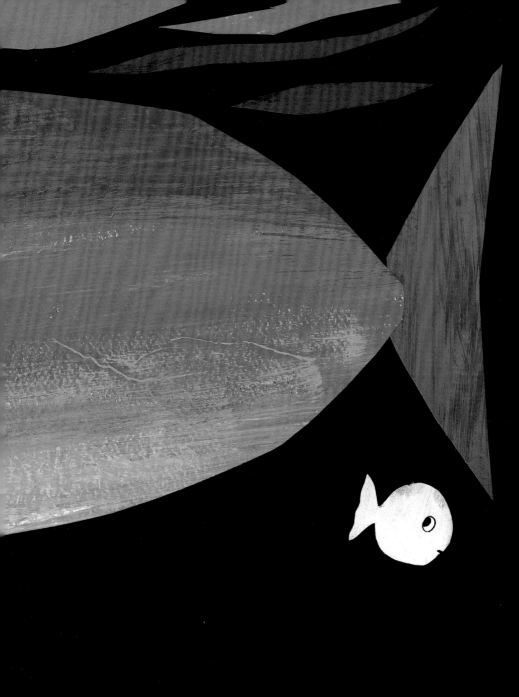

En dit?
ook niet de
mama van
wit visje?
Nee, dit is
een inktvis,
en die is
paars.

Maar dit is wel mijn mama!
lacht wit visje. Mijn mama
heeft alle kleuren van
de regenboog.

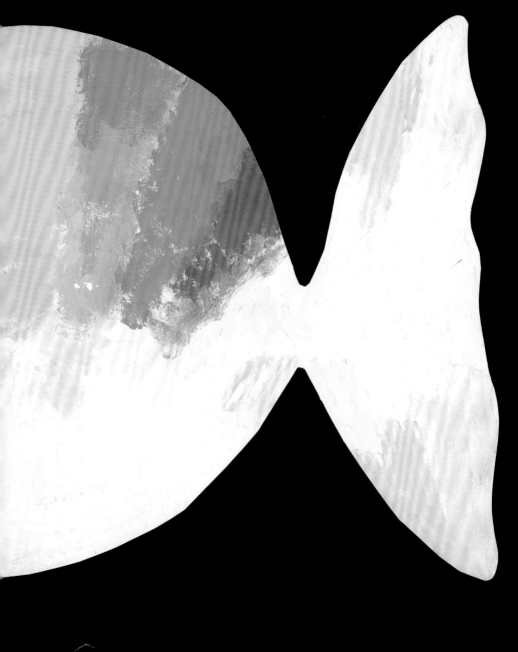

Guido van Genechten
Klein wit visje (kleine paperbackeditie), 2011
© 2004 Clavis Uitgeverij, Hasselt – Amsterdam – New York
Trefw.: kleuren, geborgenheid
NUR 273
ISBN 978 90 448 1447 7
D/2011/4124/054

www.clavisbooks.com
www.guidovangenechten.be